YO-ACH-113

ALBERT PUJOLS

Richard J. Brenner

SCHOLASTIC, INC.
New York Toronto London Auckland
Sydney Mexico City New Delhi Hong Kong

Dedico este libro a dos amigos, uno que perdí y otro que encontré.
A Jerry Geller, un hombre complejo y siempre en conflictos,
pero que vivió su vida de acuerdo a sus propias reglas. Te extraño.
A Janie DeVos, quien jugó un papel indispensable en la investigación
para este libro. Te estoy profundamente agradecido.

También les dedico el libro a ustedes, mis lectores, con la esperanza de que lo disfruten y, quizás, aprendan algunas cosas sobre la importancia de la dedicación y la perseverancia. También espero que ustedes se den cuenta, si aún no lo saben, que ni la fama ni el talento equivalen a la virtud, y que batear y atrapar una pelota puede ser muy divertido pero, después de todo, el béisbol es solo un juego. La mayoría de las personas no tiene talento suficiente para jugar en las Grandes Ligas, pero todo el mundo tiene la capacidad y, quizás, la responsabilidad de utilizar el talento que tiene para hacer realidad sus sueños más hermosos y sus metas más importantes. Aunque probablemente no paguen tanto dinero, hallar la cura para una enfermedad, detener el calentamiento global y tratar de hacer del mundo un lugar más tolerante, justo y pacífico podría resultar más crucial y producir mayor satisfacción personal.

Deseo expresar mi agradecimiento y aprecio a todos los que contribuyeron con su talento y su tiempo para la realización de este libro, como Janie DeVos, John Douglas, Joe Gannon y Gina Shaw, por su paciencia y su buen humor.

Investigadora: **Janie DeVos**
Corrector de estilo: **John Douglas**
Diseño y composición: **Joe Gannon**

Este libro no ha sido autorizado por Albert Pujols ni por Major League Baseball.

Cover photo: **Jim McIsaac/Getty Images**

Originally published in English as *Albert Pujols*
Translated by Jorge I. Domínguez

ISBN 978-0-545-23992-9

12 11 10 9 8 7 6 5 4 3 2 1   10 11 12 13 14 15/0

Printed in the U.S.A.   40

First Scholastic Spanish printing, September 2010

ÍNDICE

UNO

La llegada a Estados Unidos

José Alberto Pujols nació el 16 de enero de 1980 en Santo Domingo, la capital de la República Dominicana. La República Dominicana, país cuyo idioma es el español, ocupa dos tercios de La Española, una isla del cálido mar Caribe que se encuentra a 670 millas al sudeste de Cayo Hueso, Florida. El otro tercio de la isla está ocupado por Haití, cuyos habitantes hablan francés.

Además de sus idiomas distintos, estos países se diferencian en el deporte: en Haití no se juega ni se ve mucho béisbol, mientras que en la República (como llaman los dominicanos a su país) el béisbol se juega con pasión y es el deporte más popular de esa nación. De hecho, desde 1956, cuando Ozzie Virgil se convirtió en el primer dominicano en llegar a las Grandes Ligas, la República, con una población de apenas nueve millones de habitantes, ha enviado más de 400 jugadores a las Grandes Ligas, mucho más que cualquier otro país del mundo con excepción de Estados Unidos.

"No me comparo con otros jugadores. Sólo quiero ser como Albert Pujols. No me quiero comparar con nadie".

Y el río de talento que corre hacia el norte no sólo ha aportado cantidad, sino calidad, pues la República ha producido un flujo constante de superestrellas como, por ejemplo, Vladimir Guerrero, David Ortiz, José Reyes y Miguel Tejada, que hoy siguen brillando en los diamantes de béisbol.

Albert comenzó a jugar pelota cuando tenía ocho años, y desde muy temprano soñó con ser uno de esos peloteros que siguen la Corriente del Golfo desde la República hasta las Grandes

Ligas. Su primer entrenador fue su padre, Bienvenido, que fue un respetado lanzador en la República, aunque no tenía la calidad necesaria para jugar en las Grandes Ligas. Como su padre frecuentemente se ausentaba, y su madre se apartó de la familia siendo él pequeño, a Albert lo criaron su abuela, llamada América, y su tío, Antonio Joaquín dos Santos, uno de los once hijos de América.

Como muchos jugadores dominicanos antes que él, Albert se crió en una gran pobreza, y comenzó jugando con un palo por bate y un limón, un cítrico muy abundante en el país, por pelota. Y mientras que en Estados Unidos los niños dan por sentado que el béisbol se juega con guantes, Albert comenzó jugando en el campo con un cartón de leche recortado en forma de guante.

Aunque no tuvo la suerte de criarse con sus padres, a Albert nunca le faltaron el cariño y la atención de los demás parientes con los que vivía. En realidad, casi todos los implementos deportivos que Albert tuvo en su niñez se los dio su tío Antonio, en cuya casa vivió durante siete años.

"Mi familia hacía lo imposible para comprarme un par de zapatillas o unos guantes de bateo —recuerda Albert—. Si logré llegar a las Grandes Ligas, fue por el apoyo que ellos me dieron".

Aunque a Albert le encantaba el béisbol, cuando comenzó a jugar de niño no demostró tener mucho talento. En realidad, cuando cumplió dieciséis años, que es la edad en que los equipos de Grandes Ligas pueden contratar a los jóvenes más talentosos del país, ningún equipo se interesó en él.

"No puedo creer que mi tío Antonio haya muerto, que no esté ya con nosotros. Todavía veo su cara cuando cierro los ojos".

En el verano de 1996, unos meses después de que Albert no lograra despertar el interés de los cazatalentos de ningún equipo, se fue a vivir a Estados Unidos con su padre y su abuela, como han hecho millones de inmigrantes que han ido a Estados Unidos en busca de una vida mejor. Su familia primero se asentó en la ciudad de Nueva York, donde hay una gran comunidad dominicana. Sin embargo, después de una breve estancia en la Gran Manzana, decidieron mudarse a Independence, un pequeño pueblo de Missouri en la orilla sur del río Missouri. Independence está a unas millas al este de Kansas City, y es conocido porque allí vivió durante su infancia Harry S. Truman, el trigésimo tercer presidente de los Estados Unidos.

DOS

El trueno y el relámpago

Poco después de llegar a Independence, Albert comenzó a asistir a la escuela secundaria Fort Osage. Aunque de haberse quedado en la República Dominicana hubiese entrado al undécimo año, a Albert lo matricularon en décimo porque hablaba muy poco inglés. Así que, además de tener que adaptarse a un nuevo país y a una nueva cultura, Albert también tuvo que aprender a leer y escribir en un nuevo idioma.

Albert se esforzó mucho por ampliar su vocabulario y dominar el inglés, que es un idioma bastante difícil de aprender. Pero asumió el reto con la misma energía que batea rectas de 95 millas por hora.

"Era muy entusiasta como estudiante —dice Portia Stanke, que fue profesora particular de inglés de Albert durante los dos años y medio que pasó en la escuela secundaria Fort Osage—. Mostraba mucho interés en aprender el idioma y siempre llegaba preparado a la clase".

Aunque le iba muy bien académicamente, para el mes de febrero Albert estaba ya impaciente por presentarse a las pruebas para el equipo de béisbol de la escuela. Y desde los primeros *swings* de Albert, Dave Fry, el entrenador de béisbol, supo que iba a tener a un pelotero muy especial en su alineación durante la temporada de 1997.

"Albert nunca alardeaba de lo bueno que era —recuerda Portia Stanke—. Solo me enteraba de sus hazañas deportivas cuando le preguntaba".

"El primer día ni siquiera estaba mirándolo batear —recuerda Fry—, pero el sonido del bate al golpear la pelota me llamó la atención y me hizo voltear la cabeza inmediatamente. Sonó

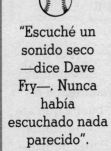

"Escuché un sonido seco —dice Dave Fry—. Nunca había escuchado nada parecido".

como una explosión, como un trueno, fue asombroso. Lo miré y pensé que parecía un hombre jugando contra un grupo de niños".

Albert no tuvo dificultades para convertirse en el campo corto regular del equipo, y aunque su inglés aún no era fluido, el entrenador Fry no tuvo problemas para comunicarse con su jugador estrella.

"Aunque yo no hablo español y Albert todavía no hablaba bien inglés, siempre lograba que me entendiera —dice el entrenador Fry—. Lo mismo si quería decirle dónde jugar exactamente en el campo o cómo mover las manos al batear; nunca tuve problemas para comunicarme con él. Albert ponía el bate un poco más alto de lo que a mí me parecía óptimo, y le sugerí que lo bajara un poco. Creo que fue todo lo que le dije. Él tenía una comprensión tan profunda del juego, que yo no tuve que enseñarle casi nada. Era un pelotero de nacimiento".

Albert sentía una pasión tan grande por el béisbol, que este parecía ser el motor de su vida. Ese deseo, combinado con un gran talento, le permitió batear para un promedio de .471, con 11 jonrones y 32 impulsadas, y llevar a los Indians al campeonato de Clase 4A de Missouri en 1997.

"Fue una experiencia increíble —recuerda Albert—, haber llegado a Estados Unidos y en el primer año ayudar a mi equipo a ganar el campeonato: es difícil imaginar un mejor comienzo". Al año siguiente, los lanzadores contrarios demostraron claramente que no querían

"Quiero ser un jugador completo y estable. No quiero que se diga que soy muy buen bateador, pero que no juego bien ninguna posición".

nada con Albert: en 88 veces al bate le otorgaron 55 boletos. ¡Increíble! Albert se sentía muy frustrado, pues era como si le quitaran el bate de las manos, pero se resistía a hacerle *swing* a los malos lanzamientos. Era admirable ver a un bateador tan joven tener la disciplina de no hacer *swing* a los lanzamientos fuera de la zona de *strike*. Albert ha mantenido esa disciplina en su carrera en las Grandes Ligas y esto lo ha ayudado a convertirse en uno de esos jugadores de gran poder que también termina cada año con un buen promedio de bateo.

Cuando los lanzadores finalmente decidieron retarlo, Albert les hizo pagar su atrevimiento disparando ocho jonrones, para un promedio de casi un jonrón cada cuatro turnos al bate. Albert demostró su inmenso poder no sólo por sus cuadrangulares, sino porque bateaba la pelota tan lejos que ésta parecía desafiar la ley de gravedad. Esto sucedió con un batazo que el entrenador Fry recuerda como si fuera ayer.

"Le dio tan duro a la pelota, y el batazo fue tan alto, que pasó por encima de la cerca del

"Es un jugador muy completo —declaró Tony La Russa, el director de los Cardinals—. Muchas veces le he dicho: Me encantaría conocer a quien te enseñó a jugar béisbol".

jardín izquierdo y cayó sobre un aparato de aire acondicionado que estaba sobre el techo de un edificio —recuerda Fry—. La pelota debe haber caído a unos 450 pies, pero cuando iba volando me pareció que nunca regresaría a la tierra".

A pesar de su poder ofensivo, los cazatalentos de las mayores no consideraban que tuviese potencial para ser una estrella porque cometía demasiados errores en el campo corto y no era un buen corredor.

"Claro que tenía la estatura y la fuerza necesarias —apunta Mike Roberts, un cazatalentos de los St. Louis Cardinals—. Pero de ninguna manera era uno de esos peloteros que lleva la estampa de las Grandes Ligas".

"Me hacía batearle para practicar su defensa hasta que mis hombros me dolían tanto que no podía seguir bateando", explica Dave Fry.

Para mejorar sus probabilidades de que algún equipo de las Grandes Ligas lo reclutara, algunos cazatalentos aconsejaron a Albert que se graduara de la escuela secundaria antes de la fecha que le correspondía para que pudiera jugar en el equipo de alguna universidad, donde tendría más posibilidades de atraer a los cazatalentos, pues jugaría con lanzadores que no tendrían miedo de enfrentarlo.

TRES

Un sonido como
un cañón

Albert aceptó el consejo y en enero de 1999 se matriculó en el Maple Woods Community College, a unas millas de su ciudad, Kansas City. Una vez más, bastó una práctica de bateo para convencer a los técnicos de que Albert no era un bateador común.

"Quedé muy satisfecho con mi desempeño en la práctica —dice Landon Brandes, que estaba un año por encima de Albert y era el mejor bateador del equipo—. Bateé unos cuantos jonrones, pero como todo el mundo, estaba bateando con un bate de

"No conozco a nadie que tenga tanto talento o tanto deseo de mejorar", dice Marty Kilgore.

aluminio. Después vino Albert, con un bate de madera, y comenzó a dar unos batazos que no se podían comparar con los míos. Quería que la tierra me tragara".

Albert siguió brillando cuando comenzó la serie. En el primer partido de la temporada con los Centaurs bateó un jonrón con bases llenas y realizó una triple matanza sin asistencia. Y después demostró que aquella actuación no había sido producto de la suerte. En esa temporada disparó 22 jonrones, impulsó 76 carreras en 56 partidos, bateó para un promedio de .466 y acumuló un porcentaje de *slugging* de .953, implantando nuevas marcas de su universidad en cada uno de esos departamentos.

"Era obvio que tenía tremendo poder y excelente vista, pero su bateo no fue lo único que me impresionó —dice Marty Kilgore, entonces director del equipo en Maple Woods—. Era un corredor de bases excelente, muy agresivo. Sabía cómo y cuándo tomar una base extra. Ejecutaba a la perfección todas las jugadas rutinarias revelando un gran instinto para el béisbol. Era, sin lugar a dudas, el mejor atleta que yo había entrenado o visto jamás".

Con la estelar ayuda de Albert, los Centaurs ganaron en 1999 el campeonato regional del título de la Asociación Atlética Nacional de Colegios Universitarios Menores, y quedaron a un juego de clasificar para el Campeonato Mundial Universitario.

A pesar de las hazañas de Albert y de la evaluación de Kilgore, su *manager*, la mayoría de los cazatalentos de las mayores seguían dudando que Albert pudiera jugar en las Grandes Ligas. Algunos cuestionaban la exactitud de sus tiros, mientras que otros comentaban que no había dedicado el tiempo necesario a desarrollar la fuerza de los brazos. La excepción entre esas opiniones negativas fue la de Fernando Arango, un cazatalentos de los Tampa Bay Devil Rays.

"Lo que me impresionó fue su increíble habilidad atlética —dice Arango—. Bateaba con una fuerza que no se ve muy a menudo. Fui a un juego en Maple Woods en el que disparó dos jonrones, y cuando el bate hacía contacto con la pelota producía un sonido como el de los cañones".

Los informes de Arango crearon suficiente interés para que los directivos de los Devil Rays le pagaran a Albert el pasaje de avión para ir al estadio de ese equipo, el Tropicana Field de Tampa, para una exhibición de talentos poco antes del fichaje de peloteros aficionados. Sin embargo, Albert no hizo nada que impresionara a Dan Jennings, el director de los cazatalentos de los Devil Rays en esa época.

"No bateó ni un jonrón, y solo uno de sus batazos llegó a la zona de seguridad —recuerda Jennings—. No hizo nada que indicara que podía jugar en las Grandes Ligas, mucho menos ser una estrella".

Cuando se realizó el fichaje en junio, todos los equipos ignoraron a Albert en cada vuelta del sorteo, hasta que los Cardinals lo ficharon en la decimotercera vuelta, después de que fueran seleccionados otros 401 jugadores, la mayoría de los cuales terminarían teniendo que pagar la entrada para ver un partido de Grandes Ligas. Después del sorteo, Arango estaba tan molesto con los Devil Rays por no haber fichado a Albert que renunció a su puesto con ese equipo.

"Me sentí muy decepcionado —recuerda Arango, que después llegaría a ser coordinador de búsqueda de talentos en América Latina para los Milwaukee Brewers—. Para mí era evidente: si no podía convencerlos de que ficharan a un pelotero como ese ni siquiera en la décima vuelta, debía irme a trabajar a otro lugar donde respetaran más mis opiniones".

De esa experiencia Jennings aprendió algo: si sus cazatalentos creen apasionadamente en el potencial de un joven atleta, considera el consejo de estos con más cuidado.

"Ese fue, sin lugar a dudas, el mayor error

"Era mi hombre —dice Ernie Jacobs, un cazatalentos de Boston que no pudo convencer a los Red Sox de que ficharan a Albert—. Perdí a mi miembro del Salón de la Fama".

que cometimos cuando estaba en Tampa Bay —dice Jennings, quien después pasó a ser director de personal deportivo de los Florida Marlins—. Por un tiempo, pensé que me había caído una maldición. Cuando Albert empezó a jugar con los Cardinals, cada vez que encendía la televisión lo veía bateando un jonrón o impulsando la carrera de la victoria para su equipo. Miraba hacia el cielo y decía: 'Está bien, ya sé que me equivoqué'. A veces tomas una mala decisión y te tienes que arrepentir toda la vida. Si lo hubiésemos fichado aunque fuera en la novena vuelta del sorteo, ahora pareceríamos genios".

Albert ya estaba molesto por haber sido fichado tan tarde en el sorteo, y los Cardinals no lo hicieron sentirse mejor cuando Dave Karaff, el cazatalentos que fue a contratarlo, le ofreció solamente $10.000 de bono de fichaje.

"Por supuesto que me molestó —recuerda Albert—. Estaba muy decepcionado y llegué a pensar que a lo mejor debía dejar el béisbol".

Sin embargo, en lugar de dejar el béisbol,

Albert fue enviado a jugar en la Liga Jayhawk, una liga de verano para peloteros de edad universitaria, y lo hizo tan bien que a finales de la temporada de 1999 los Cardinals decidieron subir la oferta a $65,000, una suma que incluía el salario para la temporada del año 2000, un bono de fichaje y dinero que se depositaría en una cuenta para cuando Albert decidiera ir a la universidad. A la larga resultaría el mejor trato en la historia del equipo, pero los detalles que rodearon este episodio han seguido incentivando a Albert a lograr la gloria como jugador.

"Él recuerda todo lo que sucedió, todo —explica Scout Mihlfeld, su amigo y entrenador, quien trabaja con Albert después de cada temporada—. Albert es un tipo terco. No olvida nada. No es un resentido, pero no hay duda de que haber sido fichado tan tarde en el sorteo y haber recibido una oferta tan baja de los Cardinals son cosas que lo motivan a demostrar su talento cada día".

"En cuanto salgo de mi casa, comienzo a pensar en lo que voy a hacer en el partido".

CUATRO

Al estrellato por la vía rápida

Aunque Albert usó su experiencia del fichaje y la baja oferta de los Cardinals como motivación para triunfar, muy pronto decidió no dejar que las opiniones de otras personas lo afectaran.

"Me di cuenta de que en realidad no importaba cómo me hubiesen clasificado en aquel momento —dice Albert—. Sabía que si tenía suficiente talento, llegaría a las Grandes Ligas en tres o cuatro años".

El camino de Albert hacia St. Louis comenzó en el otoño de 1999, en Jupiter, Florida, donde los

Cardinals tienen un equipo en la Liga Instructiva. Una vez más, la impresión que causó Albert fue increíble. Esta vez el impresionado fue el ejecutivo de los Cardinals y ex primera base de Grandes Ligas Mike Jorgensen. Vio al joven bateador disparar un jonrón por el jardín izquierdo y otros dos batazos contra la cerca. Después de observarlo unos cuantos días bombardeando las cercas del estadio, comenzó a preguntarse por qué los caza-talentos de los Cardinals no le habían dado una mejor califi-cación.

"Sé que algunos de ellos estaban preocupados por su velocidad y su físico, pero no hacía falta un telescopio para darse cuenta de que su velocidad con el bate era extraordinaria —recuerda Jorgensen—. A todo el mundo se le fue el avión con Albert, y nosotros tuvimos la suerte de poder ficharlo en

"La increíble fuerza de sus manos y la extraordinaria coordinación de los ojos y las manos son los secretos de su éxito", apunta Tom Lawless.

la decimotercera vuelta del sorteo. De hecho, habríamos parecido más inteligentes si hubiésemos fichado al Príncipe Albert en la primera vuelta".

Después de una exitosa minitemporada en la Liga Instructiva, en la que comenzó a aprender a jugar tercera base, Albert regresó a casa para el invierno. Se pasó esos meses haciendo ejercicios y ganando algún dinero en un trabajo temporario, y también dio un paso decisivo en la vida al casarse con la muchacha que había sido su novia desde el año anterior, Deidre, el día de Año Nuevo del año 2000, y adoptar a su hija bebita, Isabella, que había nacido con síndrome de Down.

"Una vez que se dio cuenta de cómo eran las cosas —y se dio cuenta enseguida—, no quedó ninguna duda de que iba a batear bien en las Grandes Ligas", dice Lawless.

Aunque gente mucho mayor que Albert, que en ese momento tenía diecinueve años, hubiese salido corriendo al oír que una mujer tenía un hijo con una enfermedad tan severa, Albert tuvo la sabiduría y la madurez necesarias para mirar más allá de la enfermedad y ver al ser humano.

"Nunca me detuve a pensar en eso —dice Albert, quien más tarde tendría otros dos hijos con su esposa—. Amaba a Deidre y amaba a Isabella. Fue así de sencillo".

Cuando llegó el momento de comenzar el entrenamiento de primavera, Albert fue asignado a Peoria (Illinois), un equipo de bajo nivel, de Clase A, que los Cardinals tienen en la Liga del Medio Oeste. A Albert no le tomó mucho tiempo acostumbrarse a jugar con otros profesionales ni llamar la atención de su director, Tom Lawless, un ex jugador de cuadro de Grandes Ligas.

"Había aspectos de la defensa que debía mejorar, y lo hizo con gran dedicación —dice Lawless—. Sin embargo, desde el principio estuvo claro que era un bateador extraordinario. Tenía una mecánica de bateo impecable, y parecía muy maduro para su edad. La mayoría de los bateadores de fuerza tratan de halar todos los lanzamientos, sin importar por dónde van. Pero cuando a Albert le lanzaban afuera, trataba de hacer contacto y batear hacia el jardín central o el derecho.

»Cuando los otros equipos se dieron cuenta de su estilo, ordenaron a sus lanzadores que trataran de dominarlo lanzándole adentro. Eso dio resultado por un tiempo, pero le enseñamos cómo generar más velocidad en toda la zona de *strike*, y en muy poco tiempo estaba bateando esos lanzamientos adentro y disparando extrabases hacia el jardín izquierdo y el central. En ese momento, tenía que ser espantoso estar en el montículo cuando Albert se acercaba a la caja de bateo".

A pesar de su rápido ajuste al picheo profesional, Albert no se sentía satisfecho, y cuando Mitchell Page, el instructor de bateo de la liga de los Cardinals, llegó a Peoria, Albert fue el primero en pedirle ayuda.

"Batear por encima de .300 no lo satisfacía, así que le di toda la tarea extra que quería hacer

—dice Page, y sonríe al recordarlo—. Pero ya era un estudiante sobresaliente, y realmente yo no sabía mucho más acerca del arte de batear que lo que él ya sabía a esa edad".

Albert jugó 109 partidos con los Chiefs y tuvo un promedio de .324, disparó 17 jonrones y acumuló 84 impulsadas, mientras que sólo se ponchó 37 veces en 395 turnos al bate. Sin embargo, no fue sólo su bateo lo que llamó la atención de los entrenadores y compañeros de equipo.

Albert fue seleccionado como el tercera base del Equipo Todos Estrellas de la Liga del Medio Oeste y Jugador Más Valioso de la liga, a pesar de no haber jugado el último mes de la temporada.

"Todos los que veían jugar a Albert se daban cuenta de que tenía un talento muy especial —dice Ben Johnson, que era su compañero de equipo en Peoria. Johnson había sido fichado en la cuarta vuelta del sorteo y poco después sería transferido a los San Diego Padres para jugar más tarde con los New York Mets en el año 2007—. Jugaba muy bien la tercera base, el mejor de la liga en esa posición, sin ninguna duda. Mucha gente no se da cuenta de lo atlético que es Albert. También juega bien el baloncesto. En realidad puede jugar cualquier deporte. Y lo que es más importante, es fabuloso tenerlo como compañero de equipo".

El estelar desempeño de Albert hizo que lo promovieran a Potomac, el equipo de más nivel de Clase A que tenían los Cardinals en la Liga de Carolina. Albert jugó 21 partidos con los Cannons, con sede en Virginia, y tuvo un promedio de bateo de .284.

"Le daba a la bola más duro y más frecuentemente que nadie —dice Bo Hart, que fue su compañero de equipo en los Cannons—. Incluso cuando era *out*, era porque bateaba una línea de frente a un jardinero, no porque el lanzador lo había dominado".

Cuando los Redbirds, el equipo de Triple A

Fue el líder en *slugging* y terminó segundo en promedio de bateo y cuarto en extrabases en la Liga del Medio Oeste.

de los Cardinals de Memphis (Tennessee), tuvieron una plaza disponible en su alineación, el director del equipo le pidió a la organización que le mandaran a aquel joven fenomenal del que tanto había oído hablar.

"Al principio tuvieron sus dudas —recuerda Gaylen Pitts, el director de los Redbirds en esa época—. Pero estábamos a punto de comenzar la postemporada de la Liga de la Costa del Pacífico (LCP) y nos hacía falta otro bateador derecho".

Decidieron darle a Albert unos días para ver si era capaz de adaptarse a batear contra lanzadores que estaban a un paso de las Grandes Ligas. Si tenía éxito, lo incluirían en la alineación de los Redbirds para la postemporada. Si no le iba bien, tendría que estar inactivo hasta que comenzara la Liga de Otoño de Arizona. Y para complicar más las cosas, le pidieron a Albert que jugara en el jardín derecho, una posición que nunca antes había jugado, y después de haber pasado toda la temporada en la esquina caliente.

Albert no sólo pasó la prueba, sino que bateó para un promedio de .302 durante la postemporada y .367, con un par de cuadrangulares y cinco impulsadas, en los siete partidos de los *playoffs* de la LCP. De hecho, Albert coronó su actuación en la serie de la manera más dramática posible: conectó un jonrón en la parte baja de la decimotercera entrada que dio la victoria y el título a los Redbirds. Y ese batazo, que hizo campeón a su equipo, también le dio a Albert el premio al Jugador Más Valioso de la serie.

En realidad, Albert ganó varios premios esa postemporada, entre ellos tres de la revista *Baseball America*, que lo nombró el mejor bateador joven, el mejor defensor de la tercera base y el mejor brazo de todos los jugadores de cuadro de la liga.

Después, Albert cerró su fabuloso ascenso a través del sistema de Ligas Menores de los Cardinals bateando .323 y acumulando 21 impulsadas en sólo 27 partidos en la Liga de Otoño de Arizona, y fue elegido el tercer jugador con más potencial de la liga por los entrenadores y directores de equipo del circuito.

"Era como una brigada de demolición —dice Mike Jorgensen—. En ese momento, para mí ya era obvio que Albert iba a ser un jugador extraordinario, no simplemente un excelente bateador".

Después de ver el ascenso meteórico de Albert en las Ligas Menores, los Cardinals le informaron que lo invitarían al entrenamiento de primavera de 2001. Es algo que los equipos de Grandes Ligas hacen con sus mejores talentos jóvenes para que vean durante unas semanas cómo es la vida en las mayores. Cuando Albert le dio la noticia a Marty Kilgore, su antiguo entrenador bromeó con él diciéndole

"Disfruté mucho jugar en las menores, hasta los viajes de diez horas en autobús me gustaban, pero después de probar las mayores, no quería regresar allí".

que iba a ser una buena experiencia tirarle la pelota a Mark McGwire, quien había disparado 70 jonrones en 1998, durante las prácticas de los jugadores de cuadro.

"Es que nadie esperaba que Albert fuera a llegar a los Cardinals tras sólo una temporada en las menores, eso nunca sucede —explica Kilgore—. Sin embargo, Albert me clavó los ojos y con un tono muy seguro me dijo que no iría para tirarle la pelota a McGwire, sino que su objetivo era entrar en el equipo".

CINCO

Novato del año

Como no tenía dinero, Albert pasó el invierno trabajando en el comedor de un club privado de su ciudad. Él, Deidre e Isabella se fueron a vivir con los padres de Deidre para ahorrar el dinero del alquiler. Ese dinero ahorrado sería aun más necesario a partir de enero, cuando Deidre dio a luz a su hijo Alberto Junior, al que muy pronto todos comenzaron a llamar A.J.

Aun con el trabajo y las responsabilidades familiares, Albert encontraba suficiente tiempo para entrenar y practicar béisbol. Sabía que para tener posibilidades con los Cardinals debía llegar al entrenamiento de primavera en plena forma y jugar bien desde el principio. Sabía que la organización no iba a gastar muchos turnos al bate con un pelotero que llevaba sólo un año en el deporte profesional... a no ser que ese pelotero los forzara a prestarle más atención.

Cuando Albert llegó al campo de entrenamiento de los Cardinals en Jupiter, Florida, le asignaron el número 68, una señal inequívoca de que los Cardinals no esperaban que estuviera mucho tiempo allí. Pero Albert se encargó de cambiarles esa idea desde los primeros *swings* en la jaula de bateo.

"Se concentra totalmente en cada cosa que hace, ya sea batear o correr entre las bases —dice Red Schoendienst—. No se distrae en ningún momento".

"Bateaba como un profesional —dice Dave Duncan, el entrenador de picheo de los Cardinals—. Era evidente que estaba decidido a competir desde el momento en que inició su primera sesión de bateo. Aunque se trataba simplemente de una práctica de bateo en febrero, Albert asumía cada turno como si estuviera en el momento decisivo de un partido de la temporada regular de las Grandes Ligas. No le hacía *swing* a malos lanzamientos. Era muy disciplinado y maduro como bateador, y eso fue lo que realmente me llamó la atención".

"Para mí, él es el jugador más valioso —dijo Mark McGwire—. Si no lo tuviéramos a él, no sé dónde habríamos terminado".

Sin embargo, en ese momento parecía imposible que Albert pudiera colarse en la alineación de los Cardinals, que estaba llena de excelentes veteranos. Estaba tan fuera de los planes de la organización, que Tony La Russa, el *manager* del equipo, no le asignó ninguna posición. Lo puso a jugar no sólo en tercera, sino también en primera, en el campo corto y en los jardines.

"Era obvio que tenía mucho talento, y pensé que podía llegar a las Grandes Ligas —comentó La Russa—. Pero de ninguna manera pensé que pudiera llegar a las mayores sin pasar un año completo en Triple A, por eso lo usaba en cualquier posición que necesitara cubrir en cada juego".

Sin embargo, Albert tenía otros planes, y su bateo y su defensa hicieron que La Russa comenzara a sentirse menos seguro de su decisión de enviarlo a Memphis. Albert había despertado el interés de algunas personas ajenas a la organización de los Cardinals, como el experimentado *manager* Felipe Alou.

"Vi jugar a Albert muchas veces esa primavera, y cada uno de sus batazos parecía un *cañonazo* —recuerda Alou, cuyo equipo de esa época, los Montreal Expos, entrenaban en las mismas instalaciones de la ciudad de Jupiter donde practicaba St. Louis—. Me sorprendió que un bateador que había estado en Clase A el año anterior se hubiese desarrollado tanto en tan poco tiempo".

Albert hizo que fuera muy difícil tomar la decisión de enviarlo a Triple A, pues durante el entrenamiento de primavera fue el líder del equipo en total de bases, con un promedio de .349 y sólo 8 ponches en 62 veces al bate. Esos números y su esfuerzo constante prolongaron su estadía con los Cardinals, pero estos siguieron con la idea de que regresara a Memphis hasta que Bobby Bonilla, el jardinero de los Cardinals, sufrió una lesión a fines del entrenamiento de primavera. Incluso cuando La Russa le dio a Albert la buena noticia de que iba a comenzar la temporada con los Cardinals, también le aclaró que después de la primera serie del equipo en Colorado, probablemente lo enviarían a las menores.

"Nada de lo que Albert ha hecho es casualidad o pura suerte —dijo Tony La Russa—. Va a jugar en las mayores por muchos años".

"Tuve suerte de hacer el equipo —dice Albert, a quien le asignaron el número 5—. Pero eso no hubiese importado mucho si yo no hubiese creído desde el principio que podía lograrlo".

El gerente general de los Cardinals, Walt Jocketty, decidió que Albert no sólo había llegado a las mayores para quedarse, sino también que tenía tanto talento que se le debía asignar un número "importante", es decir, un número de un solo dígito.

"Si miras los números que hemos retirado,

los de Stan Musial, Red Schoendienst, Ozzie Smith, todos son de un solo dígito —explica Jocketty refiriéndose a los tres miembros del Salón de la Fama que jugaron con los Cardinals—. Es difícil de explicar, pero a mí me da la impresión de que se ven mejor".

Albert quedó en cuarto lugar en la votación para el Jugador Más Valioso de la Liga Nacional, pero ganó el premio Silver Slugger, como el mejor bateador entre los defensores de la tercera base de toda la liga.

En el partido inaugural de la temporada, Albert, jugando como jardinero izquierdo y sexto bate contra los Rockies, disparó su primer sencillo. Aunque fue el único *hit* que tuvo en los tres partidos de la serie, no se sintió intimidado ni frustrado ante el picheo de Grandes Ligas.

"Le había dado bien a la bola, por eso no me sentí frustrado —explicó Albert—. Sabía lo que era capaz de hacer".

En la siguiente serie del equipo, Albert demostró lo que era capaz de hacer: torturó a los lanzadores de los Arizona Diamondbacks con 7 imparables en 14 turnos, 2 jonrones y 8 impulsadas. Uno de los *hits* de Albert fue un doblete con el que impulsó dos carreras y que disparó teniendo dos *strikes*. Estaba lanzando Randy Johnson, el as de Arizona que ganaría el premio Cy Young de la Liga Nacional en el año 2001, su tercer Cy Young en una cadena de cuatro que llegaría a ganar consecutivamente.

"Cuando le bateó ese doblete a Randy Johnson, todo el mundo en el banco quedó impresionado —dijo su antiguo compañero de equipo Mark McGwire—. En ese mismo momento nos dimos cuenta de que teníamos un gran bateador".

Debido a que McGwire y otros jugadores sufrieron lesiones, La Russa se vio obligado a subir a Albert dos puestos en la alineación, convirtiéndolo en el cuarto bate del equipo. En general, a los *managers* no les gusta poner a un jugador joven en una posición en la que se espera que este sea el

El único otro novato que encabezó a los Cardinals en promedio de bateo, jonrones e impulsadas en una temporada fue Rogers Hornsby, el legendario miembro del Salón de la Fama, en 1916.

mayor productor de carreras del equipo. Tampoco les gusta cambiar a los jugadores de posición, sobre todo a los jóvenes. Sin embargo, La Russa puso a Albert a jugar por todo el terreno, dependiendo de los jugadores disponibles que tuviera en cada partido. Increíblemente, ni el cambio en el orden al bate ni los sucesivos cambios de posición defensiva afectaron a Albert, quien seguía desempeñándose como si no tuviera un nervio en el cuerpo.

"Uno ve a muchos novatos que parecen abrumados por la presión de jugar en este nivel —dijo Bob Brenly, entonces el *manager* de los Diamondbacks—. Pero algunos novatos tienen esa mirada que te dice que están seguros de su talento. Albert tenía esa expresión en sus ojos".

Durante su primer mes en las mayores, Albert trituró a los lanzadores de la Liga Nacional bateando para un promedio de .370, con 27 impulsadas en 24 partidos y 8 jonrones, un resultado que igualó el récord de jonrones de un novato en el mes de abril.

Albert continuó a paso arrollador durante los tres primeros meses de la temporada de 2001, antes de caer en una mala racha a principios de julio en la que bateó sólo dos imparables en 33 turnos. Pero a mediados de la temporada, estaba entre los líderes de la liga en casi todos los departamentos ofensivos, y fue elegido para el Juego de las Estrellas, un honor que logran muy pocos novatos.

Albert fue el cuarto novato en toda la historia de las Grandes Ligas que logró acumular más de .300 de promedio, 100 carreras anotadas, 30 jonrones y 100 impulsadas en su primera campaña.

Al llegar los calurosos días de agosto, Albert estaba jugando mejor que nunca. Bateó imparables en diecisiete partidos consecutivos y ayudó a los Cardinals a ponerse a seis juegos de la cima de la División Central.

Albert tenía prácticamente asegurado el premio al Novato del Año, pero muchas personas comenzaron a promoverlo como candidato al título de Jugador Más Valioso, entre ellas Mark McGwire.

"Para mí no hay dudas: si clasificamos para

la postemporada, Albert debe ser un candidato al título de Jugador Más Valioso —afirmó Big Mac—. Albert es muy respetuoso con todo el mundo y con cada aspecto del béisbol, pero este muchacho no le tiene miedo a nada ni a nadie".

Los Cardinals se acercaron más a la cima en septiembre, y quedaron empatados con los Houston Astros en el primer lugar de la división con marca de 93 y 69. Sin embargo, en la primera ronda de la postemporada, los Cardinals fueron eliminados por los Diamondbacks, que les ganaron la serie 3 a 2. Ese equipo ganaría después la Serie Mundial ante los Yankees. Albert, que sólo conectó dos imparables en dieciocho turnos, no hizo mucho por los Cardinals, pero nada de lo que sucedió en la postemporada podía empañar sus fabulosas hazañas de la temporada regular.

En su primera temporada en las Grandes Ligas, Albert estableció nuevas marcas de la liga para un novato en carreras impulsadas (130), extrabases (88) y total de bases (360), y se convirtió en el segundo novato en la historia de los Cardinals en ser el líder del equipo en impulsadas, jonrones (37) y promedio de bateo (.329).

"Es simplemente fenomenal lo que Albert ha logrado en estos seis meses —dijo La Russa—. Si hubiese sido un veterano con diez años en las mayores, aun habría sido una actuación excepcional, pero hacerlo como novato es algo que no tiene comparación".

"Lo único que estoy tratando de lograr es que mi equipo llegue a los playoffs y la Serie Mundial. Esos son los únicos récords que quiero lograr".

Los miembros de la asociación de escritores deportivos de Estados Unidos coincidieron con La Russa, pues eligieron unánimemente a Albert como novato del año.

"Es muy agradable recibir ese reconocimiento —dijo Albert—, pero yo no pienso mucho en premios y récords. Sólo quiero ayudar a mi equipo a ganar, y este año no logramos exactamente lo que queríamos".

SEIS

La segunda vez

A pesar del éxito enorme que había tenido en su primera temporada, la gente se preguntaba ahora si Albert sucumbiría a "la maldición del segundo año", ese "bajón" en la producción que ha afectado a tantos jugadores en su segunda temporada en las mayores.

Sin embargo, Albert tomó medidas para evitar esa "maldición". Durante el invierno hizo ejercicio y miró incontables horas de video de los lanzadores contrarios como preparación para la temporada del 2002. Además, Albert se negó a dormirse en los laureles conquistados el año anterior. Si en la próxima no le iba bien, no sería por estar vanagloriándose en sus éxitos pasados.

"Lo que cuenta no es lo que hiciste el año anterior —declaró Albert al inicio del entrenamiento de primavera—, es lo que vas a hacer este año. Eso es más importante.

»No quiero desaprovechar esta oportunidad —añadió—. No quiero ser perezoso ni dar las cosas por hechas. No quiero alardear ni pensar que soy el mejor. Quiero seguir siendo modesto y esforzándome al máximo para llegar a ser tan bueno como sea posible".

Sus compañeros de equipo y los técnicos se dieron cuenta de la forma de pensar de Albert y de su disciplina para entrenar. Enseguida comenzaron a apreciar su dedicación y su pasión por triunfar al máximo nivel.

"No creo en maldiciones. Creo en el trabajo intenso y en prepararme para jugar tan bien como soy capaz para ayudar a mi equipo a ganar".

"Entrena más intensamente ahora que cuando era novato —señaló Tony La Russa—. Y fue su ética profesional, más que su talento, lo que le ganó el respeto de los veteranos del equipo cuando llegó al entrenamiento de primavera el año pasado".

Además de estudiar a los lanzadores contrarios, Albert aprovechaba cada oportunidad que tenía para estudiar a los mejores bateadores de las mayores, para ver si podía aprender algo de ellos y usarlo para su propio provecho.

"He aprendido mucho observando a excelentes bateadores como Todd Helton y Alex Rodríguez —explica Albert—. Han sido exitosos durante mucho más tiempo que yo, de modo que sería muy estúpido o arrogante si pensara que no puedo aprender nada observando cómo se enfrentan a diferentes lanzadores y situaciones.

La disposición a aprender de jugadores con más experiencia y de sus entrenadores dife-

Albert fue uno de los cuatro jugadores de la Liga Nacional que quedaron entre los diez mejores en promedio de bateo, jonrones e impulsadas.

rencia a Albert de otros jugadores, sobre todo de los jóvenes, quienes muchas veces creen que lo saben todo.

"Soy un pelotero inteligente —agrega Albert—, si me dices algo, lo entiendo enseguida. Si estoy haciendo algo mal al batear, dime qué es y enseguida lo rectificaré. Es lo mejor que tengo como jugador, mi capacidad de escuchar lo que me dicen los entrenadores y de rectificar lo que estoy haciendo mal".

"Tiene los mejores hábitos de trabajo que jamás he visto en un joven —dijo Mitchell Page, antiguo entrenador de bateo de los Cardinals—. No da nada por sentado. Sin embargo, su trabajo no termina cuando deja el bate. Trata constantemente de mejorar su defensa, siempre hace preguntas para optimizar su desempeño".

A diferencia del año anterior, Albert no tuvo

"Lanzadores zurdos y derechos, lanzamientos duros y suaves, rectas adentro y rectas afuera: no importa, todo lo batea", dice su ex compañero de equipo Tino Martínez.

un comienzo espectacular, pues los cazatalentos y lanzadores contrarios habían hallado deficiencias en su mecánica de bateo y las estaban aprovechando. Sin embargo, Albert respondió enseguida haciendo ajustes a su técnica. Después de cada turno al bate, regresaba a la casa club y estudiaba la grabación del partido para rectificar sus errores.

"Eso es lo que hay que hacer para ser un buen bateador —explica Albert, quien también entrenaba sin descanso en la jaula de bateo—. El asunto no es esperar a tener tres turnos desastrosos para preguntarte qué está pasando. Hay que rectificar los errores luego de fallar la primera vez".

Cualquier temor de que Albert fuera víctima de "la maldición del segundo año" fue desbancado por su rendimiento en la segunda mitad de la campaña, a partir del mes de agosto, en la que impulsó 32 carreras y bateó para un promedio de .362.

"No estaba preocupado porque me hubiese

tomado un tiempo elevar mi promedio por encima de .300 —dijo Albert—. Estaba impulsando carreras y ayudando a mi equipo a ganar, y eso es lo fundamental para mí. Trabajé duro y, como siempre he sabido, si trabajo duro comienzan a sucederme cosas buenas".

La calma de Albert ante situaciones relativamente adversas es una de las principales características de su personalidad. Es una cualidad que le permite enfrentarse a los retos sin sentirse abrumado por ellos.

"No me preocupo demasiado —dice Albert—, trato de concentrarme en lo que debo hacer y en hacerlo lo mejor que puedo. Me he hecho el hábito de intentar ser lo mejor posible cada día y ayudar a mi equipo a ganar".

La habilidad de Albert para olvidar las distracciones en un deporte en el que el

Por segundo año consecutivo, Albert ganó la triple corona de su equipo al liderar a los Cardinals en promedio de bateo, impulsadas y jonrones.

lanzador tira la pelota a 90 millas por hora mientras 40.000 espectadores gritan a favor o en contra, dependiendo de si juega en casa o en otro estadio, le ha hecho ganar la admiración de muchos peloteros y entrenadores.

"Es capaz de controlar cada turno al bate —dice Jim Edmonds—, en lugar de dejar que el lanzador controle la situación".

"Se para a batear como un hombre —dice Felipe Alou, antiguo *manager* de los San Francisco Giants—. Nunca le enseñaron a tener miedo. Eso no forma parte de su carácter".

Sin dudas, el miedo no afectó su habilidad para batear cuando los Cardinals hicieron un trato espectacular con los Phillies de Filadelfia el 29 de julio para traer a Scott Rolen al equipo. Con ese gran jugador bateando después de él, los lanzadores contrarios no podían simplemente lanzarle fuera de la zona: tenían que tirarle *strikes*. La adición de Rolen, un perenne candidato al Guante de Oro en tercera base, también significó que Albert podía tener un guante menos en su casillero.

Si bien es cierto que Rolen solidificó la ofensiva de los Cardinals y le dio mayor protección a Albert al batear detrás de él, el nuevo tercera base también pudo apreciar el talento de su compañero.

"Cuando lo ves un par de veces al año crees que está en su mejor momento de la temporada —dice Rolen—. Sin embargo, cuando estás en su mismo equipo te das cuenta de que siempre es así. Pensarías que de vez en cuando tiene que tener una mala racha, pero no. Tiene mucho talento".

Con Albert, Rolen y el jardinero central Jim Edmond, que batea a la zurda, proveyendo la ofensiva, y el cerrador Jason Isringhausen como líder de los relevistas, los Cardinals dejaron atrás a sus rivales y se coronaron campeones de la División Central con una marca de 97 y 65.

Albert fue el primer jugador en impulsar 250 carreras en sus dos primeras campañas desde que Ted Williams, miembro del Salón de la Fama, lo lograra en 1939 y 1940.

En la primera vuelta de la postemporada sus rivales fueron los Arizona Diamondbacks, pero esta vez los Cardinals intercambiaron papeles y los barrieron 3 a 0. Los próximos rivales fueron los San Francisco Giants, y la prensa promovió esa serie como la batalla de las superestrellas, con Albert compartiendo honores con Barry Bonds, quien había liderado las mayores en promedio de bateo con .370. Ninguno de los dos produjo las hazañas que se anunciaron, pero los Giants se llevaron el campeonato de la Liga Nacional 3 a 2, arrebatándole a Albert y a sus compañeros de equipo la oportunidad de jugar en la Serie Mundial de 2002.

Albert, que había terminado la temporada con un promedio de .314 (el más bajo de su carrera), 34 jonrones, 127 impulsadas y 100 anotadas, también quedó en segundo lugar en

"Cuando piensas en todo lo que ha logrado en sólo dos años en las Grandes Ligas, no lo puedes creer", dijo su antiguo compañero de equipo Mike Matheny.

la votación para el premio al Jugador Más Valioso de la Liga Nacional. Sin embargo, las derrotas en la postemporada y la votación no pudieron opacar el brillo de su actuación durante la temporada regular, pues Albert había continuado las hazañas de su año de novato convirtiéndose en el primer jugador de las Grandes Ligas en batear al menos .300, con 30 jonrones, 100 impulsadas y 100 anotadas en cada una de sus dos primeras temporadas.

"Es un jugador completo —declara Tony La Russa—. Llegará el día en que recordaremos esto y nos diremos que tuvimos la suerte de verlo jugar desde el inicio de su carrera, antes de que se convirtiera en una leyenda".

SIETE

Nuevas cumbres

En cada una de sus dos primeras temporadas en las mayores, Albert acumuló estadísticas con las que la gran mayoría de los jugadores no se atreven ni a soñar. Sin embargo, para Albert eran sólo un aperitivo de lo que iba a lograr en la temporada de 2003.

Como en su primera temporada, Albert tuvo un buen comienzo, bateando para un promedio de .385 en abril, y luego convirtió mayo en una feria disparando 10 jonrones y acumulando 26 impulsadas.

"He dirigido a varios peloteros extraordinarios, desde Ricky Henderson hasta Mark McGwire, pero Albert es el mejor de todos —dijo Tony La Russa—. Sé que sólo estamos al inicio de su tercera temporada, pero con lo que he visto me basta".

Albert siguió su increíble racha durante la primavera y el inicio del verano, con un promedio de bateo de .429 y 29 impulsadas durante el mes de junio. A mitad de temporada, era el jugador que mejor bateaba en las Grandes Ligas. En una campaña llena de memorables turnos al bate, mucha gente dice que el momento cumbre sucedió el 4 de julio, cuando Albert se enfrentó a Kerry Wood, el ultrasónico lanzador de los Chicago Cubs, cuyos lanzamientos a veces alcanzan las 100 millas por hora.

Con el caliente sol del verano bañando el estadio Wrigley Field, Wood obligó a Albert a tirarse al suelo con una recta de 98 millas por hora que pasó a milímetros de su mandíbula.

Aunque en esta época muchos jugadores le

"He jugado con grandes atletas, peloteros que acumulaban numeritos impresionantes —dijo Tino Martínez—, pero nunca he visto a un jugador tan concentrado como él. Es fabuloso".

gritan al lanzador o corren hacia el montículo a pelearse con él por cualquier lanzamiento pegado, Albert se limitó a levantarse y volver a la caja de bateo. Y entonces, en el siguiente lanzamiento de Wood, disparó un jonrón por encima de la cerca cubierta de hiedra para ayudar a los Cardinals a ganarle el partido a los Cubs.

"Es mejor no tratar de asustarlo —dijo después Jim Edmonds—, porque el que termina asustado eres tú".

"Cada vez que le lanzo me batea —dijo Randy Jonson, un candidato seguro al Salón de la Fama—. Aún no he hallado ninguna manera de dominarlo".

Las hazañas de Albert en la primera mitad de la campaña hicieron que muchos fanáticos votaran por él para el Juego de las Estrellas, y fue el jugador que más votos recibió para el equipo de la Liga Nacional. Y si bien Albert la pasó muy bien con las otras estrellas de las Grandes Ligas y quedó en segundo lugar en la competencia de jonrones detrás de Garret Anderson de los California

Angels, Tony La Russa también tuvo sus satisfacciones.

"Un par de amigos de la Liga Americana me habían refutado cuando dije que Albert era el mejor pelotero que había tenido a mis órdenes jamás —dijo La Russa—, pero después del Juego de las Estrellas me dijeron que por fin entendieron a qué me refería y que su talento era *monstruoso*".

"Quiero estar en la alineación todos los días. Es mejor jugar cualquier posición que estar en el banco".

La gente que estaba a diario con Albert sabía que su inmenso talento era sólo la mitad de la explicación para su veloz ascenso al estrellato. Albert tiene un talento natural increíble, pero hay mucha gente que lo tiene y nunca llega a nada; gente que no tiene la disciplina para desarrollar su talento o el buen juicio para rechazar la droga y otras actividades delictivas. Deion Sanders, el ex corredor estrella de la NFL inventó un nombre para ese tipo de personas.

"Déjame decirte algo —dijo Sanders, quien se crió en un barrio donde reinaban el crimen y la droga, pero que tuvo la fuerza y la inteligencia suficientes para evitar caer en el abismo y para asistir a sus prácticas cada día—. Los mejores atletas del mundo terminan pasando la vida en una esquina. Te aseguro que es así. Yo los llamo los *Siyos*. Dicen: *Si yo* hubiese hecho esto, estaría aquí hoy como tú, Deion. *Si yo* hubiese hecho aquello, estaría ganando tres millones al año. *Si yo* hubiese practicado un poco más, sería una superestrella también".

Sin embargo, como sabe muy bien Deion, esa gente nunca practica un poco más ni llega a ganar mucho dinero, y sólo llegan a ser superestrellas en sus mentes calenturientas.

"Me los encuentro constantemente; tipos que de niños eran tan rápidos como yo —añadió Deion, quien en su época fue el corredor más rápido de la NFL—. Van a estar parados en una esquina hasta el día que mueran, contándote todo lo que hubiesen podido hacer".

A diferencia de los *Siyos*, nadie le ha tenido que decir nunca a Albert que tiene que practicar más o evitar las drogas. Desde la escuela secundaria hasta las Grandes Ligas, Albert ha dejado siempre extenuados a sus entrenadores y sus lanzadores de práctica de bateo en sus esfuerzos por hacer todo lo posible por explotar al máximo su talento natural.

"Jamás he visto un pelotero joven tan disciplinado como él —afirmó Mitchell Page, el entrenador de bateo de los Cardinals en esa época—. Mira videos constantemente, y todo lo que hace tiene un objetivo. Albert nunca pierde el tiempo.

"Es uno de esos pocos peloteros que puede batear un montón de jonrones y, a la misma vez, tener un gran promedio de bateo. Y no se poncha mucho", dijo el estelar lanzador Tom Glavine.

Si te pones a observarlo, incluso durante los ejercicios de calentamiento antes del partido, puedes notar su determinación. Su rutina para la práctica de bateo la aprendió de A-Rod, y consiste en batear la pelota puesta sobre un palo, para mantener el *swing* al mismo nivel e impedir que aparezcan malos hábitos.

»Y el hecho es que su *swing* es una belleza —añadió Page, que después lo compararía con tres famosos miembros del Salón de la Fama—. Cuando veo su *swing* me recuerda a Ted Williams, Rod Carew y George Brett, tipos que tenían *swings* perfectos. Es un don, y es un don que no se ve frecuentemente".

"Es un jugador completo —indicó Tony La Russa—. Se preocupa tanto por su defensa como por su técnica de bateo".

Aunque los Cardinals se quedaron fuera de la batalla por la clasificación en septiembre al derrumbarse su débil cuerpo de lanzadores, Albert siguió castigando a los lanzadores contrarios hasta el mismo final de la temporada, y continuó demostrando que era el más temible bateador de las mayores. De hecho, encabezó ambas ligas en seis categorías ofensivas: promedio de bateo (.359); carreras anotadas (137); dobles (51); extrabases (95); y total de bases (394). Su fenomenal campaña, que también incluyó 43 jonrones, 124 impulsadas, 212 *hits* y sólo 65 ponches, fue una de las mejores en la larga y gloriosa historia de los Cardinals. En realidad, sólo otro jugador de los Cardinals, Rogers Hornsby, logró alguna vez disparar más de 40 jonrones y más de 200 *hits* en la misma temporada.

Con veintitrés años, Albert se había convertido en el jugador más joven en ganar un título de bateo desde 1962, cuando el jardinero del Los Ángeles Dodgers, Tommy Davis, alcanzó esa distinción a la misma edad que Albert: veintitrés años.

> Rogers Hornsby bateó 42 jonrones e impuso un récord para su club al disparar 250 *hits* en 1922.

Aunque Albert terminó en segundo lugar, detrás de Barry Bonds, en la votación del premio al Jugador Más Valioso, los jugadores activos no estuvieron de acuerdo con la opinión de la Asociación de Escritores Deportivos de EE.UU. y lo nombraron Mejor Jugador de

Grandes Ligas, premio que se otorga por votación de los peloteros de las mayores. También lo eligieron el Mejor Jugador de la Liga Nacional.

Durante sus tres primeras temporadas en las mayores, Albert había acumulado numeritos que se podían comparar favorablemente con los mejores inicios de carrera de toda la historia del béisbol, y sus 114 jonrones igualaron la marca del miembro del Salón de la Fama

Albert es uno de los únicos tres jugadores de la historia que ha conectado 30 o más jonrones en cada una de sus primeras tres campañas.

Ralph Kiner para las tres primeras campañas de un jugador de Grandes Ligas. Albert sabía que ya había logrado mucho, pero también se daba cuenta de que le quedaba mucho por alcanzar.

"Por supuesto que quisiera ser considerado uno de mejores peloteros de la historia cuando me retire —dijo Albert, quien cometió sólo tres errores durante la temporada de 2003 jugando 113 partidos en el jardín izquierdo y 36 en primera base—. Quiero llegar al Salón de la Fama, pero falta mucho para eso, me queda mucho por lograr".

OCHO

A un paso

La organización de los Cardinals tenía un concepto tan alto del potencial de Albert que en febrero de 2004 le dieron un contrato de $100 millones por siete años, un récord para ese club. Era la mayor cantidad de dinero jamás ofrecido a un pelotero con tres años en la mayores. Aunque muchas personas se preguntaban si un contrato garantizado tan jugoso reduciría la pasión de Albert por superarse, él le aseguró a todo el mundo que el dinero no cambiaría su actitud ni su pasión por el béisbol.

"Seguiré trabajando con esfuerzo, tanto mental como físicamente, porque sé que si te acomodas,

puede llegar alguien de las menores y arrebatar-
te tu posición —dijo Albert—. Yo salí de la nada
y le quité su trabajo a alguien, y otro jugador me
podría hacer lo mismo a mí si me duermo en los
laureles".

"Quiero ser un ejemplo a seguir no solo para los latinoamericanos, sino también para los estadounidenses".

Albert había logrado algo extraordinario. Desde su niñez en medio de la pobreza y la inseguridad en la República Dominicana, había llegado a tener fabulosas cantidades de dinero y la seguridad que provee una familia unida y cariñosa. Habiendo llegado tan alto, Albert también aceptó la responsabilidad de actuar de una manera que pudiera servir de ejemplo a los fanáticos que seguían su carrera.

"Espero ser un buen ejemplo para millones de personas que llegan a este país con los mismos sueños que tenía mi familia —dijo Albert—. Pero también quiero ser un buen ejemplo para todas las demás personas, sin importar dónde hayan nacido o de qué color sea su piel. Cuando me retire del béisbol, quiero ser recordado como uno de los mejores jugadores, pero también como una de las mejores personas, como alguien que respetaba a sus fanáticos y daba su aporte a la sociedad".

Aunque Albert seguramente hubiese deseado comenzar la temporada de 2004 a todo tren después de firmar un fabuloso contrato, tuvo un comienzo mediocre, debido en parte a una lesión en el muslo. A mediados de mayo, sin embargo, cuando los días se hicieron más cálidos y se sintió mejor de su lesión, Albert comenzó a acelerar su ritmo. En julio comenzó una racha de tres meses, que duró hasta el fin de la temporada, y durante la cual bateó para un promedio de .359.

Los Cardinals también tuvieron un comienzo mediocre, pero después, casi en sincronía con Albert, comenzaron a mejorar y terminaron la temporada coronándose campeones de la División Central.

Aunque Albert, quien jugó su primera temporada completa en primera base, era la estrella del equipo, Walt Jocketty, el gerente general de los Cardinals, había formado una potente alineación que encabezó la liga en promedio de bateo, carreras anotadas, impulsadas y porcentaje de *slugging*, y que terminó tercera en jonrones con 214.

Jim Edmonds, que igualó y superó las mejores marcas de su carrera con 42 jonrones y 111 impulsadas respectivamente, y Scott Rolen, que tuvo la mejor marca de su carrera con 34 cuadrangulares y 124 carreras remolcadas, fueron las otras dos estrellas ofensivas del equipo. El jardinero izquierdo Reggie Sanders también tuvo una buena producción en el plato, mientras que el segunda base Tony Womack y el campo corto Edgar Rentería encabezaban la alineación de Tony La Russa, donde servían la mesa para los jonroneros que venían detrás. Jocketty completó esta escuadra de lujo en agosto en un trato con los Colorado Rockies en el que obtuvo al jardinero derecho Larry Walker, que había sido el Jugador Más Valioso de la liga y

> "Si quieres ser famoso, tienes que prepararte a pagar el precio de la fama, relacionarte con los fanáticos y dar entrevistas a la prensa".

había ganado un título de bateo.

Los Cardinals tenían también un cuerpo de lanzadores de calidad encabezado por los abridores Chris Carpenter, Jeff Suppan y Jason Marquis, y el cerrador Jason Isringhausen, quien quedó empatado como líder de la liga con 47 juegos salvados.

Albert tuvo una temporada brillante, lo que ya se consideraba usual en él, pues terminó entre los primeros de la liga en todas las categorías ofensivas, y fue el líder de las mayores en carreras anotadas, total de bases y extrabases.

"Es increíble —dijo Scott Rolen—. Juega bien los 162 partidos del año. Jamás he visto a nadie así. Si yo tengo una buena actuación en 100 partidos al año, me considero dichoso… incluso si son 62".

Albert siguió acumulando estadísticas para su carrera que lo ponían a la altura de las grandes leyendas del béisbol, como los miembros

"Cuando la gente tiene un éxito tan grande, en los deportes o en cualquier área de la vida, frecuentemente se olvidan de quiénes son —dijo Larry Walter—. Con Albert eso no ha sucedido".

del Salón de la Fama Joe DiMaggio y Ted Williams, con quienes comparte el honor de ser los únicos tres jugadores que impulsaron 500 o más carreras en sus primeras cuatro temporadas. Cuando Albert se enteró de ese dato, simplemente se encogió de hombros.

"No me comparo con nadie —comentó—. No me malentiendan, respeto lo que ellos hicieron, pero mi trabajo no es hacer comparaciones. A mí me pagan para que ayude a mi equipo a ganar".

Y eso, ayudar a los Cardinals a ganar, es algo que Albert hizo con increíble regularidad, pues encabezó la liga impulsando 34 veces la carrera de la ventaja y 20 veces la carrera de la victoria para su equipo, lo cual ayudó a los Cardinals a lograr una marca de 105 y 57, la mejor de las mayores, y a sólo una victoria de la mejor marca en toda la historia de los Cardinals, establecida en 1942.

Los Cardinals comenzaron los *playoffs* como favoritos para conquistar el banderín de la Liga Nacional, y se acercaron a ese objetivo ganando

3 a 1 la serie contra Los Angeles Dodgers. Albert bateó 5 *hits* en 15 turnos con un par de cuadrangulares y 5 impulsadas. El primer jonrón de Albert inició una avalancha ofensiva de los Cardinals en el primer partido, y el segundo, un bombazo de tres carreras, selló la victoria en el cuarto y decisivo partido de la serie.

"Él quiere ser el jugador más grande de la historia del béisbol —dijo Walt Jocketty—. Y está dispuesto a hacer todo lo que sea necesario para lograrlo".

Sin embargo, las proezas ofensivas en la serie de la división fueron sólo un ensayo para lo que haría en la serie por el Campeonato de la Liga Nacional contra los Astros, en la que él y el jardinero central de Houston, Carlos Beltrán, produjeron uno de los mejores espectáculos ofensivos jamás vistos en la postemporada.

Beltrán, que ahora juega para los New York Mets, prácticamente había destruido a Atlanta por sí solo en la serie de la división con 4 jonrones, 9 impulsadas y 10 imparables en 22 turnos al bate. Beltrán vapuleó también al cuerpo de lanzadores de St. Louis con 10 *hits* en 24 turnos, 4 jonrones y 5 impulsadas. Y anotó 12 carreras, una nueva marca para la serie del Campeonato de la Liga Nacional. Sus 8 jonrones en una postemporada igualaron la marca establecida por Barry Bonds en 2002, pero Beltrán lo hizo en sólo 12 partidos, en lugar de los 17 que necesitó Bonds para lograrlo.

Albert fue el primer jugador en la historia del béisbol en disparar 30 o más jonrones en cada una de sus cuatro primeras temporadas.

La artillería pesada de los Cardinals fue la clave de sus dos victorias iniciales jugando en casa, a pesar de que Beltrán disparó un jonrón en cada uno de esos partidos.

Albert había electrizado al público local disparando un jonrón de dos carreras en la primera entrada del primer partido y otro en la octava entrada del segundo partido, que resultó ser la carrera de la victoria para su equipo.

Sin embargo, la Gran Máquina Roja de los Cardinals se atascó en Houston, y los Astros tomaron control de la serie ganando tres partidos seguidos. Al regresar a su terreno, el

Busch Stadium, los Cardinals estaban al borde de la eliminación, y Albert comentó su pobre actuación en el partido anterior, donde se fue en blanco en cuatro turnos.

"No puedo dar un jonrón en cada turno. Soy un ser humano, no una máquina. Lo único que puedo hacer es tratar de hacerlo lo mejor posible. Me siento mal de haber tenido la oportunidad de darle la victoria a mi equipo y no haberlo logrado. Por otra parte, hay que reconocer el mérito de nuestros rivales. A veces la clave es simplemente que el otro equipo jugó mejor. Pero mañana será otro día, y saldré al terreno a darlo todo. Veremos qué pasa".

"No me gusta ver a Albert en la caja de bateo —dijo Carlos Beltrán—. Es un bateador fuera de serie; le puede dar un jonrón a cualquiera".

Lo que pasó fue que Albert disparó un jonrón impulsador de dos carreras en la primera entrada del sexto partido, conectó un doblete para iniciar una carga ofensiva en su próximo turno al bate y después negoció una base por bolas en la décima segunda entrada y anotó la carrera de la victoria impulsado por un jonrón de Jim Edmonds que cerró el partido y selló la victoria.

Los Astros, sin embargo, parecían tener a los Cardinals contra la soga al día siguiente, pues Roger Clemens —el único lanzador que ha ganado siete veces el Premio Cy Young— los tenía maniatados en un partido que favorecía a los Astros 2 a 1, aunque los Cardinals tenían un hombre en tercera con dos fuera de juego en la sexta entrada.

"Parece imposible, pero cada año ha jugado mejor que el anterior —comentó Jason Isringhausen—. Y no parece tener límites para seguir ascendiendo".

Albert, que sólo había conseguido dos imparables en catorce turnos contra Clemens en toda su carrera, cayó en la cuenta adversa de una bola y dos *strikes*. La multitud que llenaba hasta el último asiento del estadio pareció contener la respiración cuando Clemens lanzó una recta en la esquina de adentro. Albert, sin embargo, le dio con la misma masa del bate y disparó un doblete al jardín izquierdo que trajo a Roger Cedeño desde tercera, con todo el público de pie, aplaudiendo y gritando en una explosión que parecía ser causada en partes iguales por la alegría y el alivio. Ese batazo pareció devolverle la iniciativa a los Cardinals e hizo que Clemens perdiera su concentración. En el siguiente lanzamiento, Scott Rolen bateó un jonrón por el jardín izquierdo que dio a los Cardinals ventaja de 4 a 2 y todas las carreras que necesitarían para coronarse campeones de la Liga Nacional en 2004.

"Ese último turno al bate ante Clemens fue uno de los mejores que he tenido en toda mi carrera —dijo Albert mientras sus compañeros celebraban el triunfo a su alrededor—. Voy a soñar con ese batazo por las próximas dos semanas. Esto es con lo que uno sueña de niño, con ir a la Serie Mundial —añadió Albert, quien bateó para un promedio de .500, con 4 jonrones y 9 impulsadas y fue elegido como el Jugador Más Valioso de la Serie por el Campeonato de la Liga Nacional—. No hay nada mejor en el mundo".

Sin embargo, incluso antes de terminar la celebración, Albert ya estaba pensando en el siguiente paso.

"Ganamos el banderín, y es algo maravilloso —dijo—. Pero este no es el final. Tenemos la Serie Mundial por delante. Tenemos que continuar la batalla".

La emocionante campaña de los Cardinals, sin embargo, chocaría con una barrera infranqueable: los Boston Red Sox los barrieron en cuatro partidos. La rapidez con que Boston les ganó la Serie Mundial, la primera que ganaban en 86 años, dejó a los Cardinals destrozados.

"Sabía que eran un equipo duro, y que iba a ser difícil ganarles —dijo Albert, decepcionado de que su equipo hubiese estado tan cerca de la gloria para después perder el impulso a un paso de coronarse campeones mundiales—. Pero jamás me imaginé que nadie nos pudiera ganar cuatro partidos seguidos".

"Es maravilloso ganar el premio al Jugador Más Valioso, pero todos los jugadores que comparten este camerino conmigo merecen ese premio. Lo dejaré aquí por el resto de mi carrera".

NUEVE

El jugador más valioso

Después de pasar el invierno entrenándose cinco días a la semana, Albert llegó al entrenamiento de primavera en 2005 y a los pocos días estaba jugando como si estuviera a mitad de campaña.

"Albert podría comenzar hoy mismo la temporada y batear por encima de .300 por lo mucho que se entrena en los meses de invierno —afirmó Tony La Russa—. Creo que está mejor que nunca, y que aún no ha llegado al máximo de su potencial".

La motivación principal de Albert era ayudar a su equipo a llegar a la cima desde donde había caído estrepitosamente el año anterior.

"El año pasado probé el sabor de una Serie Mundial —explicó Albert—. Las cosas no salieron como yo esperaba, pero con un poco de suerte tendremos otra oportunidad este año. Sin embargo, eso no lo venden en paquetes. Hay que trabajar muy duro para llegar allí, y por eso me preparé tanto para esta temporada. Lo que deje de hacer hoy no lo voy a recuperar mañana. Tengo que hacerlo hoy. Esa es la clave".

"Lo da todo cada día en el terreno —señaló José Oquendo, entrenador de los Cardinals—. Por eso puede seguir superándose".

Mientras Albert se entrenaba durante el invierno para intentar volver a ganar el banderín, Walt Jocketty había tratado de reforzar el cuerpo de lanzadores haciendo un canje para traer a Mark Mulder al equipo. También había contratado los servicios del campo corto David Eckstein y el segunda base Mark Grudzielanek para reemplazar al ganador del Guante de Oro Edgar Rentería y a Tony Womack, quienes habían abandonado el equipo al convertirse en agentes libres (esto también había sucedido con Matt Matheny, el receptor del equipo, también ganador del Guante de Oro).

Albert dio la bienvenida a los recién llegados y ofreció su ayuda a los jugadores más jóvenes, otro ejemplo de su creciente papel de líder del equipo.

"Trato de enseñar a los jóvenes, de la misma manera que muchos veteranos me ayudaron cuando llegué a las mayores —explicó Albert—. Ojalá que en cinco años ellos hagan lo mismo con otros jóvenes.

"Albert prefiere botar dinero antes que malgastar un turno al bate —comentó Hal McRae, entrenador de bateo de los Cardinals—. Para él, cada turno al bate es crucial".

»Y no se trata sólo de ayudar a los jugadores jóvenes —continuó Albert—. A veces Jimmy me dice que estoy poniendo las manos muy abajo al batear. Si veo algo que Scott está haciendo mal, se lo digo. Todos nos ayudamos. Por eso ganamos 105 partidos el año pasado y por eso hemos clasificado para la postemporada cuatro veces en los últimos cinco años. Todos nos ayudamos entre sí".

Los Cardinals hicieron una excelente labor en 2005, pues tuvieron una buena actuación a pesar de la partida de dos ganadores del Guante de Oro y una serie de lesiones, entre ellas la de Scott Rolen, que lo sacó del juego por el resto de la temporada. A pesar de esas dificultades, los Cardinals ganaron 100 partidos por segundo año consecutivo y una vez más tuvieron la mejor marca de las Grandes Ligas en la temporada regular.

"Albert es el mejor bateador derecho del mundo, y con Barry Bonds lesionado, es el mejor bateador del mundo, así de simple", afirmó Brad Ausmus, receptor de los Astros.

Un elemento clave en el éxito de los Cardinals fue su cuerpo de lanzadores, que encabezó las mayores en promedio de carreras limpias permitidas con 3.49. El as de esa rotación fue Chris Carpenter, que logró una marca de 21 y 5 y ganó el premio Cy Young de la Liga Nacional, mientras que Mark Mulder hizo la labor para la que había sido contratado ganando 16 partidos. Los relevistas también jugaron su papel, sobre todo Jason Isringhausen, que acumuló 39 juegos salvados y tuvo un promedio de carreras limpias de 2.14.

Pero una vez más, el hombre clave de los Cardinals para la conquista del segundo banderín seguido fue el Príncipe Albert, cuya presencia y hazañas ofensivas estabilizaron una alineación muchas veces rediseñada de un día para otro. Su bateo parecía tan confiable como un reloj atómico y tan constante como un metrónomo. Desde abril hasta septiembre, bateó por encima de .300 cada mes de la campaña, excepto en agosto, donde promedió .287. De la misma manera, su promedio de embase fue superior a los .400 en cada mes menos en abril, en que obtuvo .396.

"No hay ningún lanzamiento que él no pueda batear —dijo Tino Martínez—. No tiene puntos débiles como bateador, y tiene un plan definido para enfrentarse a cada lanzador".

"Hablamos de Barry Bonds como el mejor bateador del béisbol actual —dijo Jim Browden, gerente nacional de los Washington Nationals—. Pues prepárense para Albert Pujols, porque él será el próximo. Podría llegar a ser uno de los más grandes bateadores de todos los tiempos. No es una exageración. Es sencillamente así".

"Me cuido de todos los bateadores —dijo Brad Lidge—, pero cuando uno se va a enfrentar a Albert Pujols, tiene que lanzar mejor que nunca".

Albert continuó a todo tren en la postemporada, liderando a su equipo para barrer a los San Diego Padres en tres partidos y volver a enfrentarse por el banderín a los Astros, un equipo que había quedado once juegos por debajo de ellos en la temporada regular. Sin embargo, los Astros, tras perder el primer partido, derrotaron a los Cardinals tres veces seguidas, y con dos hombres fuera en la parte alta de la novena entrada del quinto choque, los iban venciendo otra vez 4 a 2. Brad Lidge, uno de los mejores cerradores de las mayores, estaba en el montículo.

Los fanáticos que presenciaban el encuentro

en el Minute Maid Park estaban de pie, animando a Lidge a sacar el *out* final y darle a Houston su primer banderín de la Liga Nacional. Sin embargo, Eckstein bateó un sencillo y Edmonds recibió la base por bolas, trayendo a Albert al plato.

Lidge tomó ventaja en la cuenta con un *strike* sin bolas, mientras la gritería en el estadio se hacía ensordecedora, pero Albert dejó las gradas silenciosas al disparar un jonrón de 412 pies sobre la cerca del jardín izquierdo que dio a los Cardinals una ventaja de 5 a 4 y envió la serie de vuelta a St. Louis.

"Es el bateador con más talento natural que he visto en mucho tiempo —comentó Sparky Anderson, antiguo *manager* de béisbol—. Antes del fin de su carrera, podría ser considerado como el mejor de la historia".

"Fue increíble lo rápido que se hizo el silencio en las gradas —explicó Albert, que hasta ese momento llevaba de cuatro cero en el partido—. La gritería era tal, que no escuchaba a los bateadores que estaban en el círculo de espera, y un instante después podía oír el ruido de mis pasos mientras recorría las bases. Nunca me había sucedido algo así. Espero conectar otros batazos clave en esta serie y después jugar en la Serie Mundial".

Sin embargo, las esperanzas que tenía Albert de regresar a la Serie Mundial se apagaron en el sexto partido, con una victoria de los Astros, el equipo más débil, que había llegado a la Serie Mundial por primera vez en los 44 años de existencia del club.

Aunque Albert no había conseguido su meta de la postemporada, su promedio de .330, 41 jonrones y 117 impulsadas en la campaña regular le hicieron ganar por primera vez el premio de Jugador Más Valioso de la Liga Nacional. Albert superó en la votación a dos fuertes candidatos: Andruw Jones y Derrek Lee, quienes habían tenido los mejores años de sus carreras. Jones, el estelar jardinero central de Atlanta, había sido líder de la liga en jonrones

"Si quieres ser como él, tienes que estar dispuesto a esforzarte como él", afirmó Miguel Cabrera, el joven bateador estelar de los Marlins.

con 51 bombazos y en impulsadas con 128, además había ganado su octavo Guante de Oro consecutivo. Mientras que Lee, el excelente primera base de los Chicago Cubs, había sido campeón de bateo de la liga con un promedio de .335 y también había estado entre los mejores en la mayoría de los departamentos ofensivos, además de ganar su segundo Guante de Oro consecutivo.

"Lo más increíble es que la campaña de 2005 fue simplemente una temporada *promedio* en la carrera de Albert —dijo Lee, quien se mostró muy generoso al comentar el resultado de la votación, en la que había quedado en tercer lugar—. Esto no es nada nuevo para él. No solo tiene el talento, sino que su constancia es también un testimonio de su carácter y su ética de trabajo. Lo da todo en cada temporada. ¿Y qué edad tiene? ¿Veinticinco? ¡Uf! Va a llegar a ser uno de los mejores bateadores de la historia. Va a estar en el Salón de la Fama, sin duda alguna".

DIEZ

El premio mayor

Un día después de que los Cardinals fueran eliminados por los Astros, Albert, que había bateado .329 con corredores en posición anotadora durante la campaña de 2005, y había impulsado 36 veces la carrera de la ventaja para su equipo, para ser líder de la liga en ese departamento, llamó a su amigo y entrenador Chris Mihlfeld y le dijo que debían comenzar a planificar el entrenamiento de invierno, concentrándose especialmente en las estrategias específicas de bateo para diversas situaciones del juego.

"Pero esa es precisamente la mejor característica de Albert —dijo Mihlfeld—. Siempre encuentra alguna razón para sentirse insatisfecho con su rendimiento, porque cree que si no asume esa actitud, se estancará como jugador. Y él no se quiere estancar".

La determinación y la pasión de Albert por seguir superándose como pelotero, por llegar a ser tan bueno como sea posible, le permitieron lograr metas que ningún otro jugador había alcanzado jamás. Por ejemplo, fue el primer jugador de la historia que en cada una de sus primeras cinco temporadas bateó para un promedio de .300 o más, disparó 30 jonrones o más, e impulsó 100 carreras o más.

> "Lo importante no son las estadísticas. Lo que importa es ganar y jugar bien a la pelota. Avanzar al corredor. Robarte una base. Hacer algunas jugadas clave".

"Fueron los mejores primeros cinco años de la historia del béisbol, es algo fabuloso —dijo Tony La Russa—. Es histórico, y uno no lo ve muy a menudo. Y lo mejor de Albert es que él no está interesado en acumular numeritos ni verse cada noche en los resúmenes deportivos del noticiero. Él está haciendo todo lo posible por ganar el partido. Lo he visto fallar cuatro veces seguidas en un partido, y después, casi al final, conseguir una base por bolas e iniciar así una avalancha ofensiva de su equipo. Y eso es lo que más admiro de él: que juega para el equipo".

Albert siempre se concentra tanto en ganar el próximo partido que no se detiene a pensar en lo que ha logrado, aunque le pidan que lo haga constantemente.

"Cuando cruzo esa raya blanca, lo único que me importa es jugar bien, dar el máximo y, si tengo suerte, ayudar a mi equipo a ganar".

"¿Qué importa realmente lo que hice en los últimos cinco años? —se preguntaba retóricamente Albert—. Eso pertenece al pasado. Soy demasiado joven para ponerme a pensar en lo que logré hacer en los años anteriores. Lo único que me interesa ahora es ganar campeonatos".

Aunque Albert parece realmente no pensar mucho en sus logros pasados y estar concentrado en las metas de su equipo, Hal McRae, el entrenador de bateo de los Cardinals, piensa que Albert tiene grandes ambiciones de las que prefiere no hablar con nadie.

"Puede ser que todo el mundo se siente a admirar sus hazañas pasadas, pero él no es así —dijo McRae, quien fuera en su época un estelar jardinero—. Albert tiene un fuego dentro que nunca se apaga. Tiene metas de las que ni siquiera habla. Sean las que sean, aún sigue intentando alcanzarlas".

Albert comenzó la temporada de 2006 como si fuera a lograr cualquier meta que se hubiese impuesto, sin importar cuán alta fuera. En el primer partido disparó el primer jonrón que se conectara en el nuevo Busch Stadium. Eso fue solo el comienzo de una lluvia de 14 jonrones durante el mes de abril, con la que rompió el récord de 13 que compartían Ken Griffey, Jr. y Luis González.

"Si cometes un error con él, lo pagas —dice el estelar lanzador John Smoltz—. Y puede darte un jonrón hasta cuando le tiras tu mejor lanzamiento. Es un tipo fuera de serie".

Al concluir el mes de junio, Albert ya tenía 25 jonrones y 65 impulsadas, y de seguir a ese ritmo rompería la marca de 73 jonrones en una temporada impuesta por Barry Bonds en 2001.

"No hay límites para este tipo —dijo David Ortiz, el jonronero de los Boston Red Sox—. Te garantizo que va a tener el mejor año de su carrera. No me sorprendería que bateara 60 o más jonrones este año".

"Es el mejor bateador que he visto en mi vida —dijo su compañero de equipo Chris Carpenter—. Y el más peligroso".

Unos días más tarde, sin embargo, Albert sufrió una lesión que le hizo perder quince partidos, lo que disminuyó sus posibilidades de romper el récord. No obstante, un día después de regresar a la alineación, Albert estaba de nuevo en plena forma y terminó la temporada con las mejores marcas de su carrera en jonrones (49) e impulsadas (137). Como de costumbre, Albert respondió en los momentos en que el equipo más lo necesitaba, disparando un par de jonrones que marcaron las carreras de la victoria en dos partidos de la última semana de la campaña. Esto permitió a los Cardinals coronarse campeones de la división por tercera vez consecutiva.

"Fueron los más importantes, fueron batazos clave —dijo La Russa—. Albert es el bateador más oportuno de las mayores, y lo volvió a demostrar en el momento en que más lo necesitábamos".

Albert siguió disparando bata-zos importantes en la primera vuelta de los *playoffs*, impulsando la carrera de la victoria en dos de los tres triunfos de los Cardinals, lo que les permitió eliminar a los San Diego Padres en la serie de la división con marca de 3 a 1.

"No puedes cometer ningún error cuando le estás lanzando —dice el estelar Tom Glavine—. Si te equivocas, lo pagas".

"Es un jugador que cambia el partido —reconoció el jardinero de San Diego Brian Giles—. Cada uno de sus turnos al bate es una amenaza para el equipo contrario".

La alegría de Albert por ir a la serie del

Campeonato de la Liga Nacional contra los New York Mets fue empañada por la noticia de la muerte de su tío Antonio, quien había ayudado a criarlo.

"Albert es un ejemplo a seguir —dijo Ryan Howard—. Ojalá pudiera yo llegar a su nivel y mantenerme a esa altura con él".

"No puedo creer que no esté con nosotros —dijo Albert—. Sigo pensando en él como si estuviera vivo".

A pesar de la desolación que le causó la noticia, y de una torcedura en un músculo del muslo, Albert bateó .318 y jugó un papel clave en el emocionante triunfo en siete partidos de los Cardinals sobre los Mets, un equipo que había logrado empatar la mejor marca de las mayores con 97 victorias.

Los Cardinals, que sólo habían ganado 83 partidos durante la campaña regular, el segundo total más bajo de la historia para un equipo ganador del banderín, fueron considerados más débiles que los Detroit Tigers, sus rivales en la Serie Mundial. Sin embargo, los Cardinals no hicieron caso a los pronósticos de los corredores de apuestas y vencieron a los Tigers ganando cuatro de los cinco partidos celebrados y se coronaron campeones de la Serie Mundial por primera vez desde 1987. Aunque su bate no se hizo sentir durante la serie, y jugadores secundarios como David Eckstein (el Jugador Más Valioso de la Serie Mundial), fueron las estrellas de la contienda, nadie celebró con más alegría que Albert, pues había conseguido su meta más importante.

"Siempre soñé con esto —dijo Albert con una sonrisa que le iluminaba el rostro—. Al fin tengo un anillo de la Serie Mundial, y eso es por lo que uno juega. Voy a disfrutar esta alegría durante unos meses, y después estaré listo para volver a intentarlo".

Cuando se dieron los premios de la temporada regular un mes más tarde, Albert terminó en

"Hay algunos bateadores que se consideran estelares en algunas categorías ofensivas —dijo La Russa—, pero Albert es estelar en todas las categorías importantes".

segundo lugar en la votación para el premio al Jugador Más Valioso, detrás de Ryan Howard, el primera base de los Philadelphia Phillies, que había sido líder de las mayores en jonrones e impulsadas. Irónicamente, Albert había tenido probablemente la mejor temporada de su carrera hasta el momento, pues había ganado su primer Guante de Oro, había bateado para .397 con corredores en posición anotadora y había sido el único bateador de la liga que estaba entre los primeros cinco en promedio de bateo, jonrones, impulsadas, anotadas, porcentaje de embase y porcentaje de *slugging*.

"A pesar del resultado de la votación, Albert es el mejor jugador de las Grandes Ligas —declaró Tony La Russa—. Y antes de terminar su carrera será reconocido como uno de los mejores jugadores de la historia de este deporte".

ESTADÍSTICAS DE LA CARRERA DE ALBERT PUJOLS

ESTADÍSTICAS OFENSIVAS • TEMPORADA REGULAR

AÑO	EQUIPO	JJ	VB	C	H	2B	3B	Jo	CI	TB	BB	P	BR	CR	PEB	SLG	AVG
2001	St. Louis Cardinals	161	590	112	194	47	4	37	130	360	69	93	1	3	.403	.610	.329
2002	St. Louis Cardinals	157	590	118	185	40	2	34	127	331	72	69	2	4	.394	.561	.314
2003	St. Louis Cardinals	157	591	137	212	51	1	43	124	394	79	65	5	1	.439	.667	.359
2004	St. Louis Cardinals	154	592	133	196	51	2	46	123	389	84	52	5	5	.415	.657	.331
2005	St. Louis Cardinals	161	591	129	195	38	2	41	117	360	97	65	16	2	.430	.609	.330
2006	St. Louis Cardinals	143	535	119	177	33	1	49	137	359	92	50	7	2	.431	.671	.331
Totales		933	3489	748	1159	260	12	250	758	2193	493	394	36	17	.419	.629	.332

ESTADÍSTICAS OFENSIVAS • POSTEMPORADA

AÑO	EQUIPO	JJ	VB	C	H	2B	3B	Jo	CI	TB	BB	P	BR	CR	PEB	SLG	AVG
2001	St. Louis Cardinals	5	18	1	2	0	0	1	2	5	2	2	0	0	.200	.278	.111
2002	St. Louis Cardinals	8	29	5	8	1	1	1	5	14	5	6	0	0	.400	.483	.276
2004	St. Louis Cardinals	15	58	15	24	4	0	6	14	46	8	6	0	0	.493	.793	.414
2005	St. Louis Cardinals	9	32	7	12	2	0	2	8	20	5	3	0	0	.447	.625	.375
2006	St. Louis Cardinals	16	52	11	15	3	0	3	6	27	13	10	0	1	.439	.519	.288
Totales		53	189	39	61	10	1	13	35	112	33	27	0	1	.429	.593	.323

Clave:
JJ: Juegos jugados; **VB:** Veces al bate; **C:** Carreras anotadas; **H:** Hits; **2B:** Dobles; **3B:** Triples;
Jo: Jonrones; **CI:** Carreras impulsadas; **TB:** Total de bases recorridas; **BB:** Bases por bolas
P: Ponches; **BR:** Bases robadas; **CR:** Cogido robando; **PEB:** Porcentaje de embase; **SLG:** Porcentaje
de *slugging*; **AVG:** Promedio de bateo (average, en inglés)

ESTADÍSTICAS OFENSIVAS • JUEGOS DE LAS ESTRELLAS

AÑO	EQUIPO	JJ	VB	C	H	2B	3B	Jo	CI	TB	BB	P	BR	CR	PEB	SLG	AVG
2001	St. Louis Cardinals	1	0	0	0	0	0	0	0	0	1	0	0	0	1.000	.000	.000
2003	St. Louis Cardinals	1	3	0	1	0	0	0	1	1	0	0	0	0	.333	.333	.333
2004	St. Louis Cardinals	1	3	1	2	2	0	0	2	4	0	0	0	0	.667	1.333	.667
2005	St. Louis Cardinals	1	2	0	1	0	0	0	0	1	0	0	0	0	.500	.500	.500
2006	St. Louis Cardinals	1	3	0	0	0	0	0	0	0	0	1	0	0	.000	.000	.000
Totales		5	11	1	4	2	0	0	3	6	1	1	0	0	.417	.545	.364

ESTADÍSTICAS DEFENSIVAS

AÑO	EQUIPO	B	JJ	JI	EJ	L	O	A	E	DP	PD
2001	St. Louis Cardinals	1B	43	32	287.0	307	283	19	5	27	.984
2001	St. Louis Cardinals	3B	55	52	431.2	161	40	111	10	17	.938
2001	St. Louis Cardinals	OF	78	70	611.2	139	128	6	5	0	.964
2002	St. Louis Cardinals	1B	21	16	144.0	154	140	13	1	24	.994
2002	St. Louis Cardinals	3B	41	37	293.0	97	25	66	6	6	.938
2002	St. Louis Cardinals	SS	1	0	2.0	0	0	0	0	0	.000
2002	St. Louis Cardinals	OF	118	101	873.2	181	173	4	6	0	.978
2003	St. Louis Cardinals	1B	62	36	369.2	374	340	33	1	34	.997
2003	St. Louis Cardinals	OF	113	113	904.1	208	198	7	3	0	.986
2004	St. Louis Cardinals	1B	150	150	1338.2	1582	1458	114	10	136	.994
2005	St. Louis Cardinals	1B	157	154	1358.2	1708	1597	97	14	175	.992
2006	St. Louis Cardinals	1B	143	142	1244.1	1464	1348	110	6	145	.996
Totales			982	903	7858.2	6375	5730	580	65	564	.990

Clave:
B: Base; **JJ:** Juegos jugados; **JI:** Juegos iniciados; **EJ:** Entradas jugadas; **L:** Lances; **O:** Outs; **A:** Asistencias; **E:** Errores; **DP:** Doble matanza (en inglés, *Double play*); **PD:** Promedio defensivo